は　し　が　き

　新しい信託法が平成 19 年 9 月から施行され、当初は各専門家も手探り状態でしたが、ここ 4，5 年でかなり普及が進んできました。

　新聞や雑誌、テレビ等でも取り上げられるようになり、「信託」が少しずつ身近になってきたのかもしれません。一般の方からのご相談も増えております。

　「将来、認知症になったときのために信託を活用したい」「次の次の世代まで財産の承継先を決めておきたい」「トラブル回避のために不動産の共有は避けたいけど、共有にせざるを得ない」などのご相談は、まさに典型的なケースです。今までの贈与や遺言では実現できなかったことが、信託を活用することで実現できる可能性があります。

　自分の想いを信託で実現しようと検討する過程で、「大枠はわかったけど信託をやった後はどうなる？」といった疑問にぶつかることがあります。

　本書では、信託の基礎のほか、5 つの事例の信託設定、信託期間中、信託終了までの各時点における税務・法務について解説し、信託を「もっと知りたい」という方の参考にしていただきたく作成をいたしました。

　なお、個別事情により留意点が異なるケースもありますので、実際の実行にあたってはぜひ私たち専門家にご相談ください。

　本書をきっかけに、信託活用についてもっと知っていただき、皆さまの資産承継のお役に立てていただければ幸いに存じます。

　　　令和 3 年 3 月吉日

　　　　　　　　　　　辻・本郷　税理士法人

　　　　　　　　　　　理事長　徳　田　孝　司

目次

基礎編

I 信託の基礎

1. 信託とは

　信託とは、財産の管理運用を信頼できる人に任せ、そこから生まれる利益を、ある人に与える制度です。

　一説によると、信託の根源は、ヨーロッパの十字軍の遠征時代にまで遡るようです。十字軍として出征する兵士たちが、信頼できる人に財産を預けて、後に残された家族のために、管理・運用してもらったというのが原型と言われています。

　このように、信託は、財産を預ける人の想いを実現するために、財産の管理・運用や承継等の手法として活用されている制度で、欧米においては、古くから活用されてきたという歴史があります。欧米の資産家の間では、信託は、売買や贈与と同じような感覚で利用されてきた馴染みのある制度と言えます。

　残念ながら、日本では、この信託があまり活用されてきませんでしたが、信託は、財産の管理・運用や承継ととても相性が良い制度です。信託をもっと普及すべく、現行の信託法が平成19年に施行され、信託の活用が進んできています。

2. 信託の基本的仕組み

　信託には、「委託者」、「受託者」、「受益者」という、3人の当事者が登場します。委託者は財産を託す人、受託者は財産を託される人、受益者は財産から生じた成果の給付を受ける人が該当します。先ほどの十字軍の例で言いますと、委託者は出征する兵士、受託者は信頼できる人、受益者は残された家族、ということになります。

　ここで、自分の財産を受託者へ託し、その財産から生じた成果について、委託者自ら給付を受けるもの、つまり委託者と受益者が同一となる信託を「自益信託」と呼び、逆に委託者と受益者が異なる信託を「他益信託」と呼びます。後述しますが、自益信託と他益信託では課税関係が大きく異なるため注意が必要です。

　信託財産から生じた成果の給付を受ける権利を「受益権」と呼びますが、受託者が受益権のすべてを持ち、自らの財産を管理するという状況は、信託を設定する意味がありません。「受託者＝すべての受益者」の状態が1年間継続すると、信託法上、信託は終了することとなります。

　また、委託者と受託者が同一となる信託も可能であり、これを「自己信託」と呼びます。信託の設定にあたっては、通常、①委託者と受託者による信託契約、②委託者の遺言に基づき設定のいずれかによりますが、自己信託の場合にはこれらの方法では設定できず、公正証書等による信託宣言という手続きを踏むこととなります。

「委託者＝受益者」⇒自益信託
「委託者≠受益者」⇒他益信託
「委託者＝受託者」⇒自己信託

認知症になっても信託できる？

　民事信託設定の目的の一つに認知症対策があります。しかし、認知症になってからでは信託は設定できません。信託設定にあたっては、委託者が信託契約の締結等を行う必要があり、認知症になり意思能力が衰えてしまってからでは、法律行為自体を行えない可能性があります。

3．信託の倒産隔離機能

　信託財産（金銭、不動産、株式・・・）は、委託者が破産・倒産をしても、委託者の債権者はこれを差し押さえることができません。また受託者が破産・倒産をしても、信託財産は受託者の固有財産から分けて管理されることになっているため、同じく受託者の債権者はこれを差し押さえできません。

　このように当事者の破産・倒産リスクの影響を受けないことを「信託の倒産隔離機能」と呼びます。もっとも、受益者が破産・倒産をした場合、受益者の債権者は、信託財産そのものの差し押さえはできませんが、信託受益権自体を差し押さえることは可能です。

　倒産隔離機能を実現するためには、名義変更が可能な財産は受託者名義へ変更をし、受託者は自分の固有財産とは分別して管理することが求められます。なお、「預金」は銀行の約款にて通常は譲渡が認められず、信託財産とすることができないため、信託財産は「金銭」とする必要があります。受託者は、金融機関で信託口口座（口座名義は「委託者〇〇受託者△△信託口」など）を開設し、信託財産である金銭を信託口口座にて分別管理することが求められます。

4．民事信託と商事信託

　民事信託や商事信託という用語を耳にすることがありますが、いずれも信託法等で規定されているものではありません。

　一般的に、信託銀行や信託会社が、事業として受託者に就任する信託を商事信託や営業信託と呼び、信託銀行や信託会社が受託者として関与しない信託は民事信託と呼ばれています。さらに、民事信託の中でも、親族や同族会社が受託者となる信託を家族信託と呼ぶこともあります。

　なお、業として受託者に就任するなど信託の引受けを行う場合には、信託業法の免許が必要となります。

5．受託者の任務は？

　信託財産の名義人は受託者に移転しますが、実質的な財産の権利者は信託受益権を持つ受益者です。そのため、名義人となる受託者には、原則として以下のような義務があります。

　①注意義務

　　信託財産はあくまで受託者としての預かりものです。善良な管理者の注意をもって（いわゆる善管注意義務）、信託事務を行わなくてはなりません。

　②忠実義務

　　受託者は受益者のために忠実に信託事務を行わなくてはなりません。

　③分別管理義務

　　受託者自身の固有財産と信託財産は、分別して管理しなくてはなりません。

　④帳簿作成、報告義務

　　信託事務に関する帳簿を作成し、毎年１回決算書等を受益者に報告しなくてはなりません。別途、税務署への「信託の計算書」の提出義務もあります。

6．受託者が途中で亡くなったら

　受託者が信託の期間中に亡くなったり、後見開始となった場合、信託事務を行う人が不存在となり、円滑な運営に支障が出ます。

　受託者が不存在となった場合、①信託設定時にあらかじめ定めた人を新受託者にする、②委託者と受益者の合意によって新受託者を選任する、③裁判所が利害関係人の申し立てにより新受託者を選任する、といった方法で後継受託者を決めていくことになります。信託に空白が生じないよう、①のように後継受託者をあらかじめ定めたり、受託者を相続や後見とは無縁の法人にするなどの検討が必要です。

　信託法上も、受託者不存在が１年間継続すると信託終了となってしまいます。

7．委託者が途中で亡くなったら

　信託は、委託者の想いを実現するために、あらかじめ定めた信託目的したがって財産を管理・運用する仕組みです。そのため、委託者が亡くなっても当然に信託が終了する訳ではなく、委託者不在となっても信託は継続できます。十字軍の兵士も、残された家族のために信託しているにもかかわらず、自分の死亡に伴い信託が終了しては困ってしまいます。もちろん、自分の財産管理を受託者に依頼する自益信託（委託者＝受益者）の場合には、委託者死亡＝受益者死亡となりますので、死亡に伴い信託終了という選択肢もあります。

　信託の設定時に、信託をいつまで続けるか、どのタイミングで終了とするかなどを定める必要がありますので、出口戦略も重要な検討事項です。

8．遺言信託と遺言代用信託

　遺言信託は、信託の設定方法である信託契約、遺言、公正証書等のうちの一つであり、遺言の中で信託の内容を定めるものです。信託銀行等が行う遺言の作成からその保管、執行までを行う商品名としての遺言信託とは内容が異なります。

　一方、遺言代用信託とは、委託者生存中は受益者を委託者自身とし、委託者死亡後の受益者を配偶者や子に定めることによって、死後の財産の分配を信託によって実現しようとするものです。遺言と同様の効果をもたらすので、このように呼んでいます。

　信託した財産の名義人は受託者に移転しますので、自身の死後の財産分配は信託契約等で定めた通りとなります。すでに遺言を書いている場合でも、信託の設定により遺言の対象財産から外れますので、注意が必要です。

9．受益者連続型信託とは

　受益者の死亡等により、信託契約に基づき、順次、他の人が受益権を取得する信託を受益者連続型信託と呼んでいます。

　受益者連続型信託によると、たとえば、当初の委託者Ａさんが受益者になっている信託について、そのＡさんが死んだら受益者をＢさんに、Ｂさんが死んだら受益者をＣさんに、Ｃさんが死んだら受益者をＤさんに、と受益者を次々と決めておくことができます。

　遺言においても財産の承継は可能ですが、Ａさんの遺言において決めることができるのは、あくまでＢさんに承継させるまでです。ＢさんからＣさんに承継させるためにはＢさんの遺言が必要で、Ａさんの意思でＣさん以降に承継させることは遺言ではできません。

　遺言の限界点を解決できるのが受益者連続型信託ですが、無制限に認められるわけではありません。信託設定時から30年経過後は、受益権の承継は1回のみとなります。もっとも、30年以上先の承継者を今から決めておくことは現実的にも難しいかと思います。

Ⅱ 信託税制の基礎

1．信託税制の基本的な考え方

　信託の設定により、財産の名義人は委託者から受託者に移転しますが、税務上は、財産から生じた成果の給付を受けるという経済的価値を持つ受益者を、財産の所有者とみなします。そのため、適正対価の支払いなしに受益者となった場合には、受益者に贈与税（死亡を基因とする場合には、相続税）の課税が生じます。

2．信託設定時

（1）課税関係

①自益信託

　自益信託は、委託者＝受益者の信託です。経済的価値の移転はないため、信託設定時に課税関係は生じません。

②他益信託

　他益信託は、委託者≠受益者の信託です。適正対価無しで、委託者から受益者へ経済的価値が移転する場合には、贈与税（死亡を基因とする場合には、相続税）の課税が生じます。

　適正対価ありで信託の設定をすれば贈与税の問題は生じませんが、信託設定時に委託者に譲渡所得税の課税が生じます。

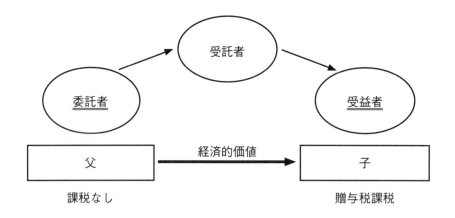

相続税法第9条の2①

信託（退職年金の支給を目的とする信託その他の信託で政令で定めるものを除く。以下同じ。）の効力が生じた場合において、適正な対価を負担せずに当該信託の受益者等（受益者としての権利を現に有する者及び特定委託者をいう。以下同じ。）となる者があるときは、当該信託の効力が生じた時において、当該信託の受益者等となる者は、当該信託に関する権利を当該信託の委託者から贈与（当該委託者の死亡に基因して当該信託の効力が生じた場合には、遺贈）により取得したものとみなす。

---

③税務上の各種特例（主なもの）

　　財産を信託しても、税務上は、受益者がその財産を所有していると考えますので、一部を除き、各種税務上の特例の対象となります。

【適用可】

1 小規模宅地等の特例（相続税）・・・・・・・・措法69の4

2 贈与税の配偶者控除（贈与税）・・・・・・・・相法21の6

3 固定資産の交換特例（所得税）・・・・・・・・所法58

4 居住用財産に係る3,000万控除（所得税）・・・措法35

5 居住用財産の買換え特例（所得税）・・・・・・措法36の21

6 特定事業用資産の買換え特例（所得税）・・・・措法371

7 特定資産の買換え・交換特例（法人税）・・・・措法65の71、65の9

【適用不可】

1 非上場株式に係る納税猶予（相続税・贈与税）・・措法70の7、70の7の2

2 農地に係る納税猶予（相続税・贈与税）・・・・・措法70の8

（2）税務当局への提出書類（受託者の義務）

　信託の設定をした場合には、受託者は、税務当局へ以下の調書を提出する義務があります。ただし、自益信託の場合や信託財産の価額の合計額が50万円以下の場合には、提出不要です。

「信託に関する受益者別（委託者別）調書（同合計表）」（相法59③）

> ・提出期限：信託効力が生じた日の属する月の翌月末日
> ・提出方法：当該調書に合計表を添付
> ・提出先　：受託者の事務所等の所在地の所轄税務署
> ・記載内容：信託財産の種類、所有場所、数量、価額等

信託に関する受益者別（委託者別）調書

受益者 特定委託者 又は 委託者	住所 (居所) 又は 所在地		氏 名 又 は 名 称								○個人番号又は法人番号」欄に個人番号（12桁）を記載する場合には、右詰で記載します。
			個 人 番 号 又 は 法 人 番 号								
			氏 名 又 は 名 称								
			個 人 番 号 又 は 法 人 番 号								
			氏 名 又 は 名 称								
			個 人 番 号 又 は 法 人 番 号								

信 託 財 産 の 種 類	信 託 財 産 の 所 在 場 所	構 造 ・ 数 量 等	信 託 財 産 の 価 額

信託に関する権利の内容	信 託 の 期 間	提 出 事 由	提出事由の生じた日	記 号 番 号
	自　・　・ 至　・　・		・　・	

（摘要）

（令和　　年　　月　　日提出）

受託者	所在地又は 住所(居所)					（電話）		
	営業所の 所在地等					（電話）		
	名称又は 氏　　名							
	法人番号又は 個人番号							

整 理 欄	①	②

358

（3）流通税

　不動産の信託を設定する場合には、信託目録の登記として以下の登録免許税がかかります（信託設定のための委託者から受託者への移転には登録免許税はかかりません。）。

　設定時の登録免許税は売買・贈与と比較してその税率は低く、不動産取得税の課税はありません。

	種類	信託	売買・贈与
登録免許税	土地	0.4% ※2023.3.31までは0.3%	2% ※2023.3.31までの売買は1.5%
〃	建物	0.4%	2%
不動産取得税	土地	なし（登免法7①）	3% ※2024.3.31までは1.5%
〃	建物	なし（登免法7①）	3%（住宅、2024.3.31まで） 4%（非住宅）

（4）不動産を信託財産とした場合の登記簿記載例

　信託登記により、甲区（所有権に関する事項）欄には、以下のように受託者名が記載されます。

権利部（甲区）	（所有権に関する事項）		
順位番号	登記の目的	受付年月日・受付番号	権利者その他の事項
1	所有権保存	平成24年3月1日 第○○号	所有者 　住所 　本郷　太郎
2	所有権移転	令和2年10月1日 第○○号	原因　令和2年10月1日信託 受託者　住所 　本郷　一郎
	信託	余白	信託目録第○号

信託目録		調製	余白
番号	受付年月日・受付番号	予備	
第○号	令和2年10月1日 第○号	余白	
1　委託者に関する事項	住所 　本郷　太郎		
2　受託者に関する事項	住所 　本郷　一郎		
3　受益者に関する事項等	受益者 住所 　本郷　太郎		
4　信託条項	信託契約の内容(目的・管理・終了事由等)		

３．信託期間中

（１）所得に関する課税関係

　信託の設定により財産の名義は受託者に移転しますが、受益者は、信託財産に属する資産及び負債を有するものとみなし、かつ、信託財産に帰せられる収益及び費用は、受益者の収益及び費用とみなします。

　受託者に信託財産の処分権限を付与した場合、例えば、信託財産とした不動産を受託者の判断で売却することも可能で、売却により信託財産は不動産から金銭に変わります。売却行為は受託者が行っていますが、譲渡所得の申告はあくまで受益者が行うこととなります。

（例）

信託財産	所得の種類
賃貸用の土地・建物等	不動産所得
株式	配当所得
上記信託財産の譲渡	譲渡所得

受益者が左記所得について確定申告をする。

　受益者が個人の場合、確定申告や信託計算書の提出事務を考慮し、通常は信託の計算期間を１月１日から12月31日として設定します。

（2）信託から生じた損失の取り扱い

　前記（1）により、信託財産に帰せられる収益及び費用は、受益者の収益及び費用とみなされることが原則ですが、次の①②のいずれも満たす場合は、その損失はなかったものとされます。（措法41の4の2）

①受益者が個人の場合で、

②信託から生じた損失が不動産所得の損失のとき

　通常、不動産所得で損失が生じた場合には、他の不動産所得との内部通算や給与所得等との損益通算、さらに控除しきれない場合には翌年以降での繰越控除が可能ですが、信託から生じた不動産所得がマイナスの場合にはなかったこと、つまり切り捨てとなるため、内部通算・損益通算・繰越控除とも対象外となります。

　近い将来に大規模修繕が見込まれる場合には、その修繕が資本的支出（いったん資産計上され減価償却）または修繕費（一度に必要経費算入）のいずれに該当するものかを事前に想定し、単年で信託財産での損益が赤字とならないかを確認しておく必要があります。複数物件を　つの信託契約に含めることで、信託による不動産所得の赤字リスクの軽減にもつながります。

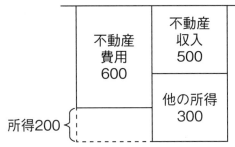

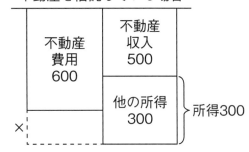

（3）相続税・贈与税の取り扱い

　　信託期間中に受益者が変更され、受益権が新受益者に移転することも想定されます。受託者を子にしたまま、生前に受益権を孫に移転すれば贈与税が、死亡を原因として受益権を孫に移転すれば相続税が、それぞれ孫に課税されることとなります。

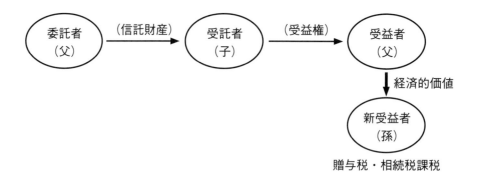

相続税法第９条の２②
受益者等の存する信託について、適正な対価を負担せずに新たに当該信託の受益者等が存するに至った場合（同法第９条の２④の規定の適用がある場合を除く。）には、当該受益者等が存するに至った時において、当該信託の受益者等となる者は、当該信託に関する権利を当該信託の受益者等であった者から贈与（当該受益者等であった者の死亡に基因して受益者等が存するに至った場合には、遺贈）により取得したものとみなす。

（4）税務当局への提出書類（受託者の義務）

　①「信託の計算書（同合計表）」（所法227）

> ・提出期限：毎年1月31日
> ・提出方法：当該計算書に合計表を添付
> ・提出先　：受託者の事務所等の所在地の所轄税務署
> ・記載内容：信託財産の収益・費用、資産・負債等

　※　各人別の信託財産に帰せられる収益の額の合計額が３万円（信託の計算期間が一年未満である場合には、１万５千円）以下の場合には提出不要です。（所規96②）
　　　信託財産が自宅と金銭のみの場合などは、年間の収益額が３万円以下となる可能性が高くなります。

信 託 の 計 算 書

(自　　　年　　月　　日至　　　年　　月　　日)

信託財産に帰せられる収益及び費用の受益者等	住所（居所）又は所在地		
	氏 名 又 は 名 称		番号
元本たる信託財産の受 益 者 等	住所（居所）又は所在地		
	氏 名 又 は 名 称		番号
委　　　託　　　者	住所（居所）又は所在地		
	氏 名 又 は 名 称		番号
受　　　託　　　者	住所（居所）又は所在地		
	氏 名 又 は 名 称	（電話）	
	計算書の作成年月日	年　　月　　日	番号

信託の期間	自　　　年　　月　　日至　　　年　　月　　日	受益者等の異動	原　　　因	
			時　　　期	
信託の目的				

受益者等に交付した利益の内容	種　　類		受託者の受けるべき報酬の額等	報酬の額又はその計算方法	
	数　　量			支払義務者	
	時　　期			支払時期	
	損益分配割合			補てん又は補足の割合	

収 益 及 び 費 用 の 明 細

収 益 の 内 訳	収 益 の 額 千　　円	費 用 の 内 訳	費 用 の 額 千　　円
収益		費用	
益		用	
合　　計		合　　計	

資 産 及 び 負 債 の 明 細

資産及び負債の内訳	資産の額及び負債の額 千　　円	所 在 地	数　量	備　考
資産				
産				
合　　計		(摘要)		
負債				
債				
合　　計				
資産の合計－負債の合計				

整 理 欄	①	②

357

13

②「信託に関する受益者別（委託者別）調書（同合計表）」（相法 59 ③）

　　受益者の変更があった場合には、受託者は「信託に関する受益者別（委託者別）調書（同合計表）」を、翌月末までに税務署へ提出する必要があります。ただし、信託財産の価額の合計額が50万円以下の場合には、提出不要です。調書提出に関するルールは信託設定時と同じです。（提出事由：受益者の変更）

（5）流通税

　信託した不動産の受益者変更時には、信託目録の変更が必要となり、登録免許税 1,000 円が課税されます。前述のように、孫への受益者変更であっても同様です。贈与や遺贈で直接孫へ渡す場合には原則通りの登録免許税・不動産取得税が課されますので、受益者変更によることで孫への移転時のコストを大幅に抑えることが可能です。（信託終了時の課税については 16 ページ参照）

4．信託終了時

（1）課税関係

　信託が終了した場合、信託財産の名義は、受託者から、信託契約で定めた「帰属権利者」へ移転することとなります。

　信託終了直前の受益者と帰属権利者が一致する場合には、財産の名義は受託者から帰属権利者へ移転しますが、信託終了による経済的価値の移転はないため、贈与税や相続税の課税は生じません。自益信託設定後、何らかの事情により信託を合意終了し、名義を元に戻すケースなどが該当します。

　一方、信託終了直前の受益者と帰属権利者が異なる場合では、帰属権利者は何の負担もなく財産を手に入れることになりますので贈与税（死亡を基因とする場合には、相続税）の課税が生じます。

　下記の図のように、委託者父から受託者子へ名義を変えた段階では、自益信託であるため子に課税は生じませんが、信託が終了した場合、財産の名義は受託者である子から帰属権利者である子に移転します。名義は子から子への移転となりますが、信託終了直前の受益者は父であったため、この段階で子に贈与税（死亡を基因とする場合には、相続税）が課税されることとなります。

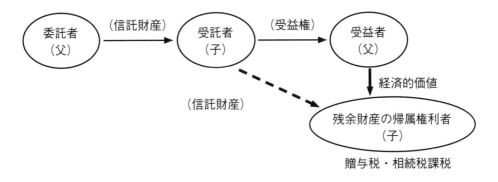

相続税法第9条の2④
受益者等の存する信託が終了した場合において、適正な対価を負担せずに当該信託の残余財産の給付を受けるべき、又は帰属すべき者となる者があるときは、当該給付を受けるべき、又は帰属すべき者となった時において、当該信託の残余財産の給付を受けるべき、又は帰属すべき者となった者は、当該信託の残余財産（当該信託の終了の直前においてその者が当該信託の受益者等であった場合には、当該受益者等として有していた当該信託に関する権利に相当するものを除く。）を当該信託の受益者等から贈与（当該受益者等の死亡に基因して当該信託が終了した場合には、遺贈）により取得したものとみなす。

（2）税務当局への提出書類（受託者の義務）

　信託が終了した場合には、受託者は「信託に関する受益者別（委託者別）調書（同合計表）」を、翌月末までに受託者の所轄税務署へ提出する必要があります。調書提出に関するルールは信託設定時と同じです。（提出事由：信託の終了）

　ただし、信託終了直前の受益者が帰属権利者である場合や信託財産の価額の合計額が50万円以下の場合には、提出不要です。

（3）流通税

　不動産を信託財産とする信託を終了させた場合の登録免許税と不動産取得税は、次のケースごとに取り扱いが異なります。また、いずれの場合も信託登記抹消のために、不動産一個につき登録免許税1,000円が別途課税されます。

　① 自益信託終了の場合（受託者→委託者兼受益者）

⇒所有権移転登記による登録免許税及び不動産取得税は課税されません。

　② 次の要件を満たす信託終了の場合（受託者→当初委託者兼受益者の相続人）

・信託の信託財産を受託者から受益者へ移す場合

・当該信託の効力が生じた時から引き続き委託者のみが信託財産の元本の受益者である場合

・当該受益者が当該信託の効力が生じた時における委託者の相続人であるとき

⇒所有権移転登記による登録免許税は0.4％、不動産取得税は課税されません。

　③ 上記以外

⇒9ページで示した、「売買・贈与」と同様の登録免許税、不動産取得税が課税されます。

事例編

Ⅰ 認知症対策

1．スキーム図

　信託で最も使われている使い方が認知症対策です。例えば不動産を所有している場合、その建物の修繕や建替えには契約が必要ですが、認知症になってしまうと各種の契約ができなくなってしまいます。また、日常の家賃管理なども難しくなります。

　認知症になった方をサポートする制度として成年後見制度があります。しかし、後見人では、修繕は出来ても必ずしも建替えが出来るとは限りません。成年後見制度は本人の財産の維持・管理・保全を目的としているからです。

　しかし、信託であれば、不動産の建替えを行い、事業を拡大する「運用」を行うことも出来ます。さらに、信託財産は管理している受託者の固有財産とは分別管理されるため、仮に受託者が破産・倒産したとしても、信託財産は守られ引き続き信託目的達成のために活用出来ます。

　認知症対策の信託は一般的に以下のような形態となります。

図

　図の通り、例えば長男に管理を任せます。長男は信託財産からの果実である家賃収入を受益者である父に分配します。信託契約の目的で定めれば管理以外に売却や建替えなども可能になります。上記例では信託財産を賃貸不動産としましたが、株式等の有価証券や金銭を信託財産とすることも可能です。

　但し、逆に信託では対応出来ないことが身上監護です。身上監護とは本人（被後見人）の生活、治療、療養、介護などを行う法律行為で、住居の確保や施設等への入退所の契約手続きなどを行うことです。成年後見制度はこのような身の回りの法律行為を行うことが出来ますが、信託はあくまで信託目的に沿った財産の管理・運用を行うだけにとどまります。信託と成年後見制度は混同されがちですが守備範囲が異なる部分もありますので、それぞれのメリットを活かした認知症対策を検討することが重要です。なお、信託は契約行為のため、認知症になってからでは信託契約を行うことは出来ません。また、成年後見制度も認知症になってからの申立てでは家庭裁判所が後見人（司法書士等）を選定します。認知症になる前であれば、任意後見制度といい、あらかじめ自ら選んだ代理人（任意後見人）に代理権を与える契約（任意後見契約）を結んでおくことが出来ます。信託にせよ成年後見制度にせよ元気なうちに検討することが重要です。

　では、認知症対策として信託を活用する事例を設定から終了まで見ていきましょう。

2．事例

委託者　　：父 A

受託者　　：長男 B

受益者　　：父 A

信託財産　：賃貸用不動産

信託目的　：受託者長男 B は次の信託目的を実現するため、委託者兼受益者父 A の判断
　　　　　　能力が低下しても、信託財産を受益者のために管理・運用・処分を行う。
　　　　　　①受益者の日常生活を護り、安定した生活・療養及び福祉の確保のため終生
　　　　　　　支援すること
　　　　　　②新たな建物を建設するなど、資産を有効に活用すること

信託の終了：父 A が死亡したとき

信託終了時の財産の帰属：長男 B

（1）信託設定時

　委託者父 A と受託者長男 B とで、上記内容の信託契約を締結。設定時は委託者＝受益
者となり経済的価値の移動はないものとして課税関係は生じません。

・税務当局への提出書類

●「信託に関する受益者別（委託者別）調書（同合計表）」（相法 59 ③）

　　同調書は、次の 4 つの事由に該当することになった場合、受託者の所轄税務署へ、信
託効力が生じた日の月の翌月末までに、信託財産の種類や、場所、数量、価格等を記載
して提出する書類ですが、この事例のように自益信託の場合、提出は不要です。（相規
30 ⑦五イ（4））

　　一　信託の効力が生じたこと

　　二　受益者等の変更

　　三　信託の終了

　　四　信託に関する権利の内容の変更

（2）信託期間中

　　信託した賃貸不動産から生じた所得は、受益者が自らの不動産所得として確定申告を行います。（所法13①）なお、信託の計算期間を暦年とすることで受託者からの報告書をそのまま申告に使うことができ、効率よく申告作業ができます。

　　信託財産が不動産ではない場合、各財産に拠った所得となります。

（例）

信託財産	所得の種類
賃貸用の土地・建物等	不動産所得
株式	配当所得
上記信託財産の譲渡	譲渡所得

受益者が左記所得について
確定申告をする。

・信託から生じた損失の取扱い

　　受益者が個人で、信託による<u>不動産所得</u>に損失がある場合、その損失はなかったものとします。よって、当該信託以外の不動産所得との内部通算や給与所得等との損益通算はできません。また、翌年以降への繰越もできませんのでご注意ください。（措法41の4の2）

　　大規模修繕などを行った場合の確定申告は要注意です。信託不動産でマイナスとなり、信託<u>外</u>不動産で所得が出ていても通算することはできませんので、信託外不動産の所得額をそのまま不動産所得として申告することになります。

・税務当局への提出書類（受託者の義務）

●「信託の計算書（同合計表）」（所法227）

> ・提出期限：毎年1月31日
> ・提出方法：当該計算書に合計表を添付
> ・提出先　：受託者の事務所等の所在地の所轄税務署
> ・記載内容：信託財産の収益・費用、資産・負債等

　※　各人別の信託財産に帰せられる収益の額の合計額が3万円（信託の計算期間が一年未満である場合には、1万5千円）以下の場合には提出不要です。（所規96②）
　　信託財産が自宅と金銭のみの場合などは、年間の収益額が3万円以下となる可能性が高くなります。

（3）信託終了時

　信託は父 A 死亡時に終了し、信託財産は長男 B へ帰属します。つまり、父 A から長男 B へ経済的価値が適正対価なしで移転するため、税務上は遺贈で取得したものとみなされ、相続税の課税対象となります。この場合の不動産の評価は通常通りの相続税評価と同じです。（相法 9 の 2 ④、相通 9 の 2-5）なお、要件を満たせば、小規模宅地の特例の適用も可能です。

・遺産分割との関係

　信託財産は契約に基づき帰属権利者に移転されるため、遺産分割協議の対象とはなりません。

・税務当局への提出書類（受託者の義務）

　信託が終了した場合には、受託者は「信託に関する受益者別（委託者別）調書（同合計表）」を翌月末までに受託者の所轄税務署へ提出する必要があります。（提出事由：信託の終了）

● 「信託に関する受益者別（委託者別）調書（同合計表）」（相法 59 ③）

> ・提出期限：事由が生じた日の属する月の翌月末日
> ・提出方法：当該調書に合計表を添付
> ・提出先　：受託者の事務所等の所在地の所轄税務署
> ・記載内容：信託財産の種類、所有場所、数量、価額等

3．流通税

・自益信託設定時

　土地・建物ともに登録免許税 0.4％です。不動産取得税はかかりません。

・信託終了時

　信託登記抹消のために、不動産一個につき登録免許税 1,000 円が別途課税されます。

① 次の要件を満たす信託終了の場合（受託者→当初委託者兼受益者の相続人）

　・信託の信託財産を受託者から受益者へ移す場合
　・当該信託の効力が生じた時から引き続き委託者のみが信託財産の元本の受益者である場合
　・当該受益者が当該信託の効力が生じた時における委託者の相続人であるとき
　　⇒所有権移転登記による登録免許税は 0.4％、不動産取得税は課税されません。

② 上記①の要件を満たさない場合

　　⇒「売買・贈与」と同様の登録免許税、不動産取得税が課税されます。

　　登録免許税について、信託を設定せず相続で不動産を取得した場合は、相続時に 1 回 0.4％課税されますが、認知症対策で信託を設定した場合は、設定時と終了時の 2 回各 0.4％が課税されます。

II 共有不動産

1. スキーム図

　相続対策において、不動産の共有は避けるべきと言われております。確かに、不動産の共有は売却等に全員の同意が必要で、スムーズに進められなかったり、管理の方向性で揉めてしまうと修繕や建替えが出来ずに、気づいたら相当程度劣化が進み、空きアパートとなってしまうことも珍しくありません。このようなときに活用できるのが信託です。

　信託は受託者に管理等を委託しますので、受託者の判断で修繕や建替えも行うことができます。また、前節でみたとおり、共有持分者が認知症になってしまった場合の認知症対策としても使えます。そして、信託契約のなかで誰かに相続が起きた場合、受益権をどうするかも定めることが出来ますので、遺言のように活用することもできます。

　共有対策の信託は一般的に以下のような形態となります。

図

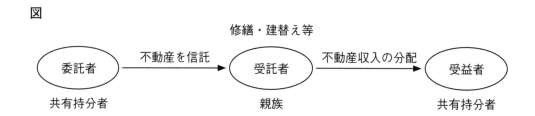

　管理が可能な親族等を受託者とし、自益信託を設定します。受託者は信託財産からの果実である家賃収入を受益者である共有持分者に分配します。信託契約で定めれば管理以外に修繕や建替え、売却なども可能になります。

　ここで十分に検討しなくてはならないのが、「受益者が亡くなった場合に次の受益者を誰にするか」と「信託終了事由及びその時の帰属権利者を誰にするか」です。この問題は共有者それぞれの子供の有無や対象不動産を将来的にどのようにするか又はしたいかという将来像が大切になります。

　では、共有対策として信託を活用する事例を設定から終了まで見ていきましょう。

2．事例

委託者　　　：長男 A、二男 B、長女 C

受託者　　　：長男 A の息子 D

受益者　　　：長男 A、二男 B、長女 C

信託財産　　：賃貸用不動産

信託目的　　：受託者長男 A の息子 D は次の信託目的を実現するため、委託者兼受益者の長男 A、二男 B、長女 C の判断能力が低下しても、信託財産を受益者のために管理・運用・処分を行う。

　　　　　　　①受益者の日常生活を護り、安定した生活・療養及び福祉の確保のため終生支援すること

　　　　　　　②新たな建物を建設するなど、資産を有効に活用すること

信託の終了：信託設定から 30 年間

受益者が死亡した場合　：死亡した受益者の相続人に、法定相続分で按分して帰属させる。（受益者連続型信託となる。）

信託終了時の財産の帰属：終了時の受益者

（1）信託設定時

　委託者長男 A、二男 B、長女 C と受託者長男 A の息子 D とで、上記内容の信託契約を締結。設定時は委託者＝受益者となり経済的価値の移動はないものとして課税関係は生じません。

・税務当局への提出書類

●「信託に関する受益者別（委託者別）調書（同合計表）」（相法 59 ③）

　同調書は次の４つの事由に該当することになった場合、受託者の所轄税務署へ信託効力が生じた日の月の翌月末まで、信託財産の種類や、場所、数量、価格等を記載して提出する書類ですが、この事例のように自益信託の場合、提出は不要です。（相規 30 ⑦五イ（4））

　　一　信託の効力が生じたこと

　　二　受益者等の変更

　　三　信託の終了

　　四　信託に関する権利の内容の変更

（2）信託期間中

＜所得に関する事項＞

　信託した賃貸不動産から生じた所得は、受益者が自らの不動産所得として確定申告を行います。（所法13①）今回の事例では受益者が複数人のため、受益権の割合で収益費用を按分して申告することになります。なお、信託の計算期間を暦年とすることで受託者からの報告書をそのまま申告に使うことができ、効率よく申告作業ができます。

　信託財産が不動産ではない場合、各財産に拠った所得となります。

（例）

信託財産	所得の種類	
賃貸用の土地・建物等	不動産所得	受益者が左記所得について
株式	配当所得	確定申告をする。
上記信託財産の譲渡	譲渡所得	

　いずれの所得でも、受益者が複数人の場合は受益権割合で収益費用を按分して申告します。

・信託から生じた損失の取扱い

　受益者が個人で、信託による<u>不動産所得</u>に損失がある場合、その損失はなかったものとします。よって、当該信託以外の不動産所得との内部通算や給与所得等との損益通算はできません。また、翌年以降への繰越もできませんのでご注意ください。（措法41の4の2）

　大規模修繕などを行った場合の確定申告は要注意です。信託不動産でマイナスとなり、信託<u>外</u>不動産で所得が出ていても通算することはできませんので、信託外不動産の所得額をそのまま不動産所得として申告することになります。

・税務当局への提出書類（受託者の義務）

●「信託の計算書（同合計表）」（所法227）

> ・提出期限：毎年1月31日
> ・提出方法：当該計算書に合計表を添付
> ・提出先　：受託者の事務所等の所在地の所轄税務署
> ・記載内容：信託財産の収益・費用、資産・負債等

　※　各人別の信託財産に帰せられる収益の額の合計額が3万円（信託の計算期間が一年未満である場合には、1万5千円）以下の場合には提出不要です。（所規96②）
　　信託財産が自宅と金銭のみの場合などは、年間の収益額が3万円以下となる可能性が高くなります。

＜相続・贈与に関する事項＞

・受益者死亡時

　　受益者の一人が死亡した場合には、当該受益者から二次受益者へ経済的価値が適正対価の収受なしで移転するため、税務上は遺贈で取得したものとみなされ、相続税の課税対象となります。この場合の不動産の評価は通常通りの相続税評価と同じです。（相法9の2④、相通9の2-5）なお、要件を満たせば、小規模宅地の特例の適用も可能です。

・遺産分割との関係

　　受益権は契約に基づき次の受益者に移転されるため、遺産分割協議の対象とはなりません。

・税務当局への提出書類（受託者の義務）

● 「信託に関する受益者別（委託者別）調書（同合計表）」（相法59③）

　　調書の提出時期等は信託効力発生時と同様です。（提出事由：受益者の変更）

> ・提出期限：事由が生じた日の属する月の翌月末日
> ・提出方法：当該調書に合計表を添付
> ・提出先　：受託者の事務所等の所在地の所轄税務署
> ・記載内容：信託財産の種類、所有場所、数量、価額等

（3）信託終了時

　　信託は信託設定から30年経過時に終了し、信託財産は終了時の受益者へ帰属します。信託終了直前の受益者＝帰属権利者となり、経済的価値の移転が無いため、信託終了による課税はありません。

・税務当局への提出書類（受託者の義務）

● 「信託に関する受益者別（委託者別）調書（同合計表）」（相法59③）

　　信託が終了した場合には、受託者は「信託に関する受託者別（委託者別）調書（同合計表）」を翌月末までに納税者の所轄税務署へ提出する必要があります。（提出事由：信託の終了）

　　ただし、この事例のように信託終了直前の受益者が帰属権利者である場合には、提出不要です。（相規30⑦五ハ（5））

3．流通税

・信託設定時

土地・建物ともに登録免許税 0.4％です。不動産取得税はかかりません。

・信託期間中に受益者変更した場合

不動産 1 個につき 1,000 円課税されます。

・信託終了時

信託登記抹消のために、不動産一個につき登録免許税 1,000 円が別途課税されます。

①自益信託終了の場合（受託者→委託者兼受益者）

⇒所有権移転登記による登録免許税及び不動産取得税は課税されません。

②次の要件を満たす信託終了の場合（受託者→当初委託者兼受益者の相続人）

　・信託の信託財産を受託者から受益者へ移す場合

　・当該信託の効力が生じた時から引き続き委託者のみが信託財産の元本の受益者である場合

　・当該受益者が当該信託の効力が生じた時における委託者の相続人であるとき

⇒所有権移転登記による登録免許税は 0.4％、不動産取得税は課税されません。

③上記以外

⇒「売買・贈与」と同様の登録免許税、不動産取得税が課税されます。

　信託終了時の受益者が、当初委託者である場合（①のケース）、当初委託者の子である場合（②のケース）、当初委託者の孫である場合（③のケース）によって、信託終了時の流通税の課税が異なります。

　不動産を共有とし、共有者からその相続人に相続させていった場合、共有者の人数がさらに増えていくことになります。それは信託でも同様で、相続のたびに受益権の所有者（受益者）が増えていきます。そして、事例のように、30 年後の信託終了時に信託財産を受益者に帰属させると、結局は共有に戻ってしまいます。そのため、その不動産を承継する親族を決められる場合は双方の合意により、その親族が徐々に受益権を買い取ったり、一定のところで受託者が売却して金銭で分配するなど、根本の問題を解決する出口戦略を検討しておく必要があります。

　なお、受託者が信託財産を売却した場合、その信託の受益者全員は共有不動産の売却と同様にその受益権割合に応じて譲渡所得として申告します。承継する親族が特定の受益者から受益権を買い取った場合、その売却した受益者が譲渡所得として申告します。買い取った親族は新たな受益者となり、受益者変更の登記として不動産 1 個につき 1,000 円課税されます。

信託報酬について

　家族間の信託であっても、信託契約において、受託者が信託財産から報酬を受ける旨の定めがある場合には、受託者は信託財産から報酬を受取ることができます。親子間などの信託で、あえて信託報酬の授受をしないこともありますが、親戚である叔父・叔母やいとこが受託者となる場合は、通常、信託報酬を支払うことになります。

　受託者が受け取った信託報酬は、「雑所得」の対象となります。一方、受益者は、信託財産から支払われた信託報酬について、不動産所得等の業務に係る部分と家事費に係る部分とに合理的に按分した上で、業務に係る部分のみを必要経費とします。これらは信託財産の内容によりますので、慎重な検討が必要です。

　なお、生計を一にする親族間の信託報酬は、受け取った受託者側では所得とは考えず、支払った受益者側の必要経費になりません（所法56）が、社会通念上、明らかに高額な信託報酬の授受は、当然に贈与税課税の問題が生じることになります。

Ⅲ 次の次の代までの遺産相続

1．スキーム図

　夫婦に子供がいない場合やどちらかが再婚又は生涯未婚であった場合など、将来の相続時に財産の行き先をどうするかという問題が生じることがあります。例えば夫婦に子供がいない場合であれば、残された妻の死亡後には一族の財産を自分の甥や姪などに引き継がせたいと思う方が多いかもしれません。しかし、民法に定める相続順位によると、配偶者及び1位：子供、2位：親、3位：兄弟となっており、例えば夫が先に死亡した場合、その財産は妻と親又は兄弟に相続されます。その後、妻が死亡した場合、妻の相続人は妻の親又は兄弟となり、妻が相続した分の財産が姻族の系統にいくことになってしまいます。

　財産の行き先を決める方法には遺言があります。ただし、遺言は自分が死亡した場合の財産の行き先しか指定することできませんので、妻が死亡した場合については、妻が遺言を書かなくてはいけません。また、遺言はいつでも撤回や書き換えができてしまいます。そのようなときに活用出来るのが信託です。

　信託は受益者が亡くなった場合に、さらに次の受益者を定めることができますし、信託終了時の財産の帰属先も信託契約の中で定めるこができます。このような信託を受益者連続型信託と呼んでいます。

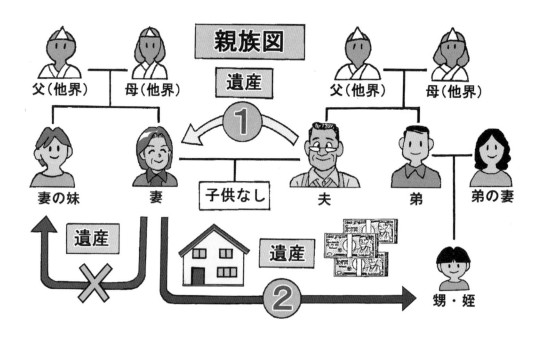

図
設定時

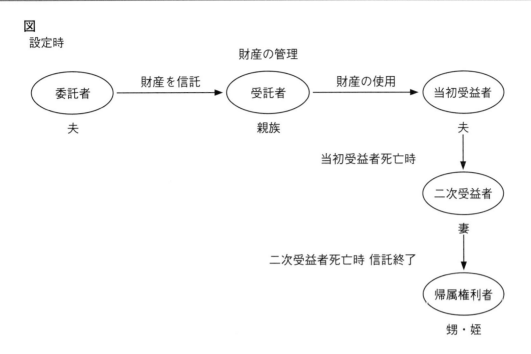

設定時は委託者＝受益者として自益信託とします。受益者である夫が亡くなった後の受益者を妻とします。妻が亡くなった後は信託を終了させ、甥・姪が帰属権利者として財産を受け取ります。行き先を甥・姪まで、信託設定時に決めておくことができます。信託を使えば勝手に撤回・書き換えは出来なくなりますので、将来は確実に甥・姪に財産を渡せます。遺言には無い次の次まで遺産の承継者を指定することが出来るのです。但し、すべてにおいて遺言の代わりになるかといえばそうではなく、信託契約の効力が及ぶ範囲は、あくまで信託財産として組み入れた範囲にとどまるので、遺言のように「財産一式」としての指定はできません。信託と遺言を組み合わせて、それぞれのメリットを活かす対策が重要です。

では、事例を設定から終了まで見ていきましょう。

２．事例

委託者	：夫 A、
受託者	：親族
受益者	：当初受益者夫 A、二次受益者妻 B
信託財産	：自宅・賃貸不動産及び現金 10,000,000 円
信託目的	：受託者親族は委託者兼受益者夫 A 及び二次受益者妻 B の判断能力が低下しても、次の信託目的を達成するため信託財産の管理・運用・処分を行う。

①受益者の日常生活を護り、安定した生活・療養及び福祉の確保のため終生支援すること

②信託終了時に、残余財産帰属権利者に信託財産を確実に移転させ、円滑に承継させること

信託の終了：二次受益者妻 B が死亡した時

信託終了時の財産の帰属：夫 A の甥 C

（1）信託設定時

　委託者夫 A と受託者親族とで、上記内容の信託契約を締結。設定時は委託者＝受益者となり経済的価値の移動はないものとして課税関係は生じません。

・税務当局への提出書類（受託者の義務）

●「信託に関する受益者別（委託者別）調書（同合計表）」（相法 59 ③）

　同調書は次の４つの事由に該当することになった場合、受託者の所轄税務署へ信託効力が生じた日の月の翌月末まで、信託財産の種類や、場所、数量、価格等を記載して提出する書類ですが、この事例のように自益信託の場合、提出は不要です。（相規 30 ⑦五イ（4））

　　一　信託の効力が生じたこと

　　二　受益者等の変更

　　三　信託の終了

　　四　信託に関する権利の内容の変更

（2）信託期間中
＜所得に関する事項＞

　信託した賃貸不動産から生じた所得は、受益者が自らの不動産所得として確定申告を行います。（所法13①）なお、信託の計算期間を暦年とすることで受託者からの報告書をそのまま申告に使うことができ、効率よく申告作業ができます。

　信託財産が不動産ではない場合、各財産に拠った所得となります。

（例）

信託財産	所得の種類
賃貸用の土地・建物等	不動産所得
株式	配当所得
上記信託財産の譲渡	譲渡所得

受益者が左記所得について
確定申告をする。

・信託から生じた損失の取扱い

　受益者が個人で、信託による<u>不動産所得</u>に損失がある場合、その損失はなかったものとします。よって、当該信託以外の不動産所得との内部通算や給与所得等との損益通算はできません。また、翌年以降への繰越もできませんのでご注意ください。（措法41の4の2）

　大規模修繕などを行った場合の確定申告は要注意です。信託不動産でマイナスとなり、信託<u>外</u>不動産で所得が出ていても通算することはできませんので、信託外不動産の所得額をそのまま不動産所得として申告することになります。

・税務当局への提出書類（受託者の義務）
●「信託の計算書（同合計表）」（所法227）

> ・提出期限：毎年1月31日
> ・提出方法：当該計算書に合計表を添付
> ・提出先　：受託者の事務所等の所在地の所轄税務署
> ・記載内容：信託財産の収益・費用、資産・負債等

　※　各人別の信託財産に帰せられる収益の額の合計額が3万円（信託の計算期間が一年未満である場合には、1万5千円）以下の場合には提出不要です。（所規96②）
　　　信託財産が自宅と金銭のみの場合などは、年間の収益額が3万円以下となる可能性が高くなります。

＜相続・贈与に関する事項＞

・受益者死亡時

　　当初受益者が死亡した場合には、当該受益者から二次受益者へ経済的価値が適正対価の収受なしで移転するため、税務上は遺贈で取得したものとみなされ、相続税の課税対象となります。この場合の不動産の評価は通常通りの相続税評価と同じです。（相法9の2④、相通9の2-5）なお、要件を満たせば、小規模宅地の特例の適用も可能です。

・遺産分割との関係

　　受益権は契約に基づき次の受益者に移転されるため、遺産分割協議の対象とはなりません。

・税務当局への提出書類（受託者の義務）

●「信託に関する受益者別（委託者別）調書（同合計表）」（相法59③）

　　調書の提出時期等は信託効力発生時と同様です。（提出事由：受益者の変更）

> ・提出期限：事由が生じた日の属する月の翌月末日
> ・提出方法：当該調書に合計表を添付
> ・提出先　：受託者の事務所等の所在地の所轄税務署
> ・記載内容：信託財産の種類、所有場所、数量、価額等

（3）信託終了時

　　信託は二次受益者妻B死亡時に終了し、信託財産は夫Aの甥Cへ帰属します。つまり、妻Bから夫Aの甥Cへ経済的価値が適正対価なしで移転するため、税務上は遺贈で取得したものとみなされ、相続税の課税対象となります。この場合の不動産の評価は通常通りの相続税評価と同じです。（相法9の2④、相通9の2-5）なお、要件を満たせば、小規模宅地の特例の適用も可能です。

・遺産分割との関係

　　信託財産は契約に基づき帰属権利者に移転されるため、遺産分割協議の対象とはなりません。

・税務当局への提出書類（受託者の義務）

　　信託が終了した場合には、受託者は「信託に関する受益者別（委託者別）調書（同合計表）」を翌月末までに受託者の所轄税務署へ提出する必要があります。（提出事由：信託の終了）

●「信託に関する受益者別（委託者別）調書（同合計表）」（相法59③）

> ・提出期限：事由が生じた日の属する月の翌月末日
> ・提出方法：当該調書に合計表を添付
> ・提出先　：受託者の事務所等の所在地の所轄税務署
> ・記載内容：信託財産の種類、所有場所、数量、価額等

３．流通税

・**信託設定時**

土地・建物ともに登録免許税 0.4％です。不動産取得税はかかりません。

・**信託期間中に受益者変更した場合**

不動産１個につき 1,000 円課税されます。

・**信託終了時**

信託登記抹消のために、不動産一個につき登録免許税 1,000 円が別途課税されます。

① 　自益信託終了の場合（受託者→委託者兼受益者）

⇒所有権移転登記による登録免許税及び不動産取得税は課税されません。

② 　次の要件を満たす信託終了の場合（受託者→当初委託者兼受益者の相続人）

・信託の信託財産を受託者から受益者へ移す場合

・当該信託の効力が生じた時から引き続き委託者のみが信託財産の元本の受益者である場合

・当該受益者が当該信託の効力が生じた時における委託者の相続人であるとき

⇒所有権移転登記による登録免許税は 0.4％、不動産取得税は課税されません。

③ 　上記以外

⇒「売買・贈与」と同様の登録免許税、不動産取得税が課税されます。

受託者の設定と30年ルールについて

　受益者連続型信託を使った次の次の代への遺産相続は、遺言では難しかったことが実現できる信託の機能です。ただし、「受託者をどうするか」といった問題があります。もちろん、当初から甥Cを受託者にすることは可能ですが、元気なうちに甥Cに財産を託してしまうのは不安かもしれません。夫Aが自ら受託者となることも検討できますが、「受託者＝すべての受益者」の状態が１年続くと、信託は終了してしまいます。そのため、本事例においては、受託者を以下のように設定することも検討できます。

　①夫Aが法人（一般社団法人等）を設立し、法人が受託者となる。

　②受託者を妻Bとし、夫A死亡時には二次受益者を妻Bのみではなく、甥Cを含めておく（受益権の割合は任意）ことで、「受託者＝すべての受益者」の状態にならないようにする。

　また、本事例において、夫Aが信託設定から 30 年以上長生きしたらどうなるのか、といった疑義が生じるかもしれません。しかし、信託設定から 30 年経過しても、１回だけは受益権の承継が可能であり、妻Bは受益者となることができます。その後、妻Bが死亡した段階で信託が終了し、帰属権利者である甥Cが財産を引き継ぐことになります。この場合で、仮に、妻Bの次に三次受益者が存在した場合には、三次受益者は、30 年ルールにより受益権を取得できなくなりますので注意が必要です。

Ⅳ 賃貸建物の法人化

1. スキーム図

　不動産収入は不動産所得に区分され他の所得と合算して総合課税で所得税が課税されます。その最高税率は45％です。所得税は税率が高いこともあり、その対策として賃貸建物の法人化を検討されている方も多いのではないでしょうか。また、相続対策として法人化を検討されている方も少なくないでしょう。しかし、賃貸建物を資産管理会社に売却する場合、登録免許税と不動産取得税（合わせて流通税といいます。）で5％から6％の移転コストがかかります。そこで信託を活用します。

　税務上は受益者が信託財産を所有しているとみなして課税されます。よって、法人が受益権を所有することで、建物自体を所有しているのと同じ効果が得られます。受益権の移動による登記の変更は登録免許税の0.4％のみ（不動産取得税は課税されない）のため、賃貸建物自体を移動させる場合と比較して移転コストは10分の1以下になります。

図
信託設定

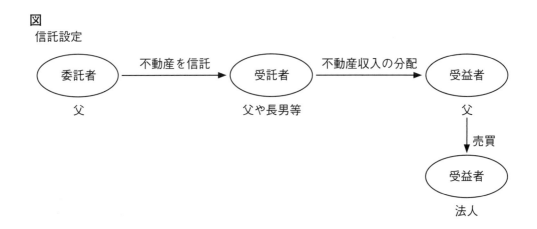

　父を受益者として信託を設定し、その後法人は受益権を売買により取得します。そして、管理はこれまで通り受託者である父が行います。このときに認知症対策として長男などに受託者になってもらうことも可能です。そして、受益者になった法人は建物を所有しているものとして収益計上し法人税の申告を行います。これで、法人化と同じ効果が得られます。

　では、賃貸建物の法人化として信託を活用する事例を設定から終了まで見ていきましょう。

2．事例

委託者　　　：父 A
受託者　　　：父 A
当初受益者　：父 A
売買後受益者：資産管理会社 B 社
信託財産　　：賃貸建物

（1）信託設定時

　委託者と受託者が同一のため信託契約の締結はできず、委託者父 A が公正証書にて「信託宣言」という手続きを行います。同時に受益者父 A は資産管理会社 B 社に受益権を売却し、売買代金を収受します。受益者となる資産管理会社 B 社が今後の税務上の所有者として、賃貸建物にかかる資産及び収益費用を計上し申告等を行います。父 A は受益権を売却しますので売却益が出る場合は譲渡所得税の申告を行います。信託設定時の流通税としては固定資産税評価額の0.4％と売買による受益者変更の1,000円が課税されます。

・税務当局への提出書類（受託者の義務）
●「信託に関する受益者別（委託者別）調書（同合計表）」（相法59③）

　同調書は次の4つの事由に該当することになった場合、受託者の所轄税務署へ信託効力が生じた日の月の翌月末まで、信託財産の種類や、場所、数量、価格等を記載して提出する書類です。自益信託の場合には提出は不要ですが（相規30⑦五イ（4））、すぐに資産管理会社 B 社に移転しますので、受益者変更を事由に提出が必要です。

　一　信託の効力が生じたこと
　二　受益者等の変更
　三　信託の終了
　四　信託に関する権利の内容の変更

・提出期限：事由が生じた日の属する月の翌月末日
・提出方法：当該調書に合計表を添付
・提出先　：受託者の事務所等の所在地の所轄税務署
・記載内容：信託財産の種類、所有場所、数量、価額等

（2）信託期間中

税務上の所有者は受益者となるため、受益者自ら賃貸建物を所有しているとして物件を貸借対照表に、収入及び費用を損益計算書に計上して法人税申告を行います（法法12①）。信託の計算期間と受益者である法人の事業年度を合わせることで、受託者からの報告書をそのまま申告に使うことができ、効率よく申告作業ができます。

・信託から生じた損失の取扱い

信託から生じた損失は原則損失計上できますが、受益者が当該信託に係る債務を弁済する責任の限度が、実質的に信託財産の価額とされている場合、信託財産の帳簿価格（調整出資等金額（措令39の31⑤））を超える部分の金額は損金不算入となります。ただし、その損金不算入額は、翌事業年度以後に繰り越され、信託による利益額を限度として、損金算入することが出来ます。（措法67の12①、②）。

・受託者死亡時等の対応

信託法56条にて受託者の任務終了事由が7つ定められております。

1. 受託者である個人の死亡
2. 受託者である個人が後見開始又は保佐開始の審判を受けたこと
3. 受託者（破産手続開始の決定により解散するものを除く。）が破産手続きの決定を受けたこと。
4. 受託者である法人が合併以外の理由により解散したこと。
5. 次条の規定による受託者の辞任※次条57条では受託者の辞任を定めています。
6. 第五十八条の規定による受託者の解任※58条では受託者の解任を定めています。
7. 信託行為において定めた事由

7にある通り、法による規定以外にも信託契約において任務終了事由を定めることができます。信託契約は何十年と続く長い契約です。認知症の発症やその他予期せぬ事故で受託者業務が続けられない場合なども想定し、信託の設定時に、終了事由と後任の受託者を定めておくことも検討すべき事項です。

受託者を変更する場合は、原則、新受託者と前受託者の共同で登記申請で行います（登法60①）。受託者の死亡や後見開始などで変更となる場合は単独申請で行なえます（登法100①）。

なお、受託者の変更に伴う登録免許税や不動産取得税は非課税とされております（登法7①三、地法73の7①五）。

・税務当局への提出書類（受託者の義務）
●「信託の計算書（同合計表）」（所法227）

> ・提出期限：毎年1月31日
> ・提出方法：当該計算書に合計表を添付
> ・提出先　：受託者の事務所等の所在地の所轄税務署
> ・記載内容：信託財産の収益・費用、資産・負債等

※　各人別の信託財産に帰せられる収益の額の合計額が3万円（信託の計算期間が一年未満である場合には、1万5千円）以下の場合には提出不要です。（所規96②）そのため、信託財産が自宅と金銭のみ等の場合には、年間の収益額が3万円以下となる可能性が高く、信託の計算書の提出が不要なケースも多いです。

（3）信託終了時

　このケースでは委託者や受託者の死亡等での信託の終了は想定しておりません。なぜなら、せっかく移転コストを下げた形で法人化を行っても、賃貸建物がある状態で信託を終了させると、受託者から法人に所有権が異動しますので、その時点で5%から6%の流通税が課税されてしまうからです。

　終了させるタイミングとしては、時間の経過により固定資産税評価額が下がり、課税される流通税が低下した時や、老朽化などで取り壊して現物が滅失し、課税される物件がなくなった時などが考えられます。

　または、信託財産である賃貸建物を受託者が第三者へ売却し、信託財産を現金化することなども想定されます。

・相続との関係

　受益権は法人が有しているため、委託者や受託者に相続が発生しても、当該信託にかかる課税はありません。ただし、被相続人が法人の株式を保有している場合は、その株式は相続財産となり課税の対象となります。その時の株式の評価は法人が建物を所有しているとして財産を評価し、株式の評価額を算出します。

・税務当局への提出書類
●「信託に関する受益者別（委託者別）調書（同合計表）」

　信託が終了した場合には、受託者は「信託に関する受益者別（委託者別）調書（同合計表）」を翌月末までに納税者の所轄税務署へ提出する必要があります。（提出事由：信託の終了）

　ただし、この事例のように信託終了直前の受益者が帰属権利者である場合には、提出不要です。（相規30⑦五ハ（5））

３．流通税

・信託設定時

土地・建物ともに登録免許税 0.4％です。不動産取得税はかかりません。

・信託期間中に受益者変更した場合

不動産１個につき 1,000 円課税されます。

・信託期間中に受託者変更した場合

登録免許税及び不動産取得税は非課税です。

・信託が終了した場合

建物が残っている場合は、通常どおりの流通税 5％から 6％が帰属権利者に課税されます。建物が滅失している場合、流通税の課税対象である物件がありませんので、課税されません。信託登記の抹消として登録免許税が不動産1個につき1,000円課税されます。

Ⅴ 自社株の信託

1. スキーム図

　オーナー経営者が保有する「自社株」は、取締役の選任などを行う経営権があり、自社を経営していく上では非常に大事なものです。事業承継の場面ではこの「自社株」をどのように後継者に移していくかが問題となります。なぜなら、「自社株」には経営権の他に利益等の分配を受ける財産権としての側面もあり、贈与税や相続税の課税対象となってしまいます。そこで、自身の勇退時に株式を移す際、株式の評価額（以下、株価）が下がるよう様々な対策が取られます。しかし、会社にとって思いがけぬ損失等により、自身の勇退前に株価が下がることがあります。株価が下がっているため、贈与税を抑えて株式を移転できるチャンスであっても、後継者がまだ育っておらず引き続き経営権は維持したいという場面が想定されます。

　そのような時、民事信託を活用すれば株式を実質的に経営権と財産権に分けられ、贈与税の課税対象となる財産権だけ後継者に移すことが出来るようになります。

　自社株信託の形態として、①贈与＋自益信託と②他益信託で設定する２パターンがあります。

　①のパターンについて以下詳細に説明します。

図

【ステップ１】

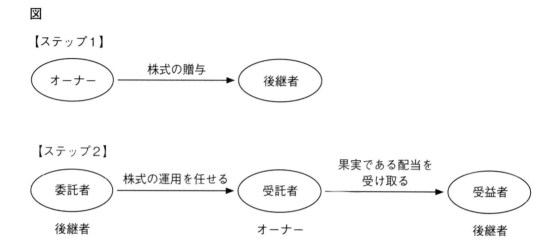

【ステップ２】

　まずはステップ１として、株式を後継者に贈与します。そうしますと、株主は後継者となるため、一時的に議決権を行使する経営権も、配当等を受ける財産権も後継者になります。そこで、贈与と同時にステップ２として贈与を受けた株式をオーナーへ信託します。株式は後継者が所有しているため、後継者が委託者となり、受託者であるオーナーがその運用（議決権の行使）を行います。株式の名義は受託者であるため株主名簿上の表記も「受託者○○（オーナー名）」等となります。受益者はその信託財産からの果実を受け取る者ですが、この場合の果実は配当を受け取る権利となり、後継者となります。

　これで、株主名義も権限も何も変わらず会社の運営はこれまで通り行いつつ、株式の財産的価値は後継者に移せたことになります。

　では、自社株信託として民事信託を活用する事例を設定から終了まで見ていきましょう。

2．事例

株式所有者：オーナー A（贈与後：後継者 B）

委託者　　：後継者 B

受託者　　：オーナー A

受益者　　：後継者 B

信託財産　：自社株式

信託の終了：受託者と受益者の合意、オーナー A が認知症と診断または後見開始など意
　　　　　　思能力が欠如したと認められるとき、死亡したとき

信託終了時の財産の帰属：後継者 B

（1）信託設定時

　オーナー A から後継者 B への株式の贈与を行う（ステップ 1）と同時に、上記、信託内容の信託契約を締結（ステップ 2）。後継者 B は株式贈与の贈与税申告を，贈与を受けた年の翌年 3 月 15 日まで行います。ステップ 1 で贈与税は課税済みであり、ステップ 2 は、委託者＝受益者の自益信託のため、信託設定時にあらためての贈与税課税はありません。信託設定後は受益者が税務上の所有者として配当等の申告等を行います。

　後継者が経営者として成長した段階で信託を終了させることが出来るように、「受託者と受益者による合意」や「受託者の死亡」を終了事由とします。

　また、株式の運用は議決権の行使等ですが、そのためには当然に意思能力が必要です。認知症などにより意思能力が喪失した場合、議決権の行使等ができなくなってしまうため、その場合も想定して「意思能力が欠如したとき」等も終了事由として信託を設定します。

・会社法務

　会社法では株式に譲渡制限を付すことができ、中小企業の殆どは付されているものと思われます。よって、贈与による変更と、信託での変更の 2 回譲渡承認等の会社法上の手続きを行うことになります。（会法 107 ①一、136、137 ①）

・税務当局への提出書類

● 「信託に関する受益者別（委託者別）調書（同合計表）」（相法 59 ③一）

　　同調書は次の４つの事由に該当することになった場合、受託者の所轄税務署へ信託効力が生じた日の月の翌月末まで、信託財産の種類や、場所、数量、価格等を記載して提出する書類ですが、この事例のように自益信託の場合、提出は不要です。（相規 30 ⑦五イ（4））

　　一　信託の効力が生じたこと
　　二　受益者等の変更
　　三　信託の終了
　　四　信託に関する権利の内容の変更

＜参考＞

・提出期限：事由が生じた日の属する月の翌月末日
・提出方法：当該調書に合計表を添付
・提出先　：受託者の事務所等の所在地の所轄税務署
・記載内容：信託財産の種類、所有場所、数量、価額等

（2）信託期間中

　　税務上の所有者は受益者となるため、配当を受けた場合は、受益者が自らの配当所得として確定申告を行います（所法 13 ①）。

　　また、議決権の運用は受託者が行うため、会社からの株主総会招集の対応や議決権行使は受託者であるオーナーが対応します。

・税務当局への提出書類（受託者の義務）

● 「信託の計算書（同合計表）」（所法 227）

・提出期限：毎年1月31日
・提出方法：当該計算書に合計表を添付
・提出先　：受託者の事務所等の所在地の所轄税務署
・記載内容：信託財産の収益・費用、資産・負債等

　※　各人別の信託財産に帰せられる収益の額の合計額が３万円（信託の計算期間が一年未満である場合には、１万５千円）以下の場合には提出不要です。（所規 96 ②）

・後継者の死亡

　残念ながら信託期間中に先に後継者が亡くなる可能性もあります。後継者が亡くなった場合、信託契約で定めた相続人等が二次受益者となります。しかし、受託者がオーナーであることは変わりません。後継者死亡により、その後の後継者が不在となる場合、M&A 等を検討することも考えられますが、株式を売却する行為は受託者であるオーナーが行います。ただし、売却収入は受益者に帰属することになります。

　なお、受益者が変更された時は、受益者変更を事由に、上記「信託に関する受益者別（委託者別）調書（同合計表）」の提出が必要となります。

（3）信託終了時

　信託は受託者と受益者の合意等の終了事由に該当した場合に終了し、信託財産は後継者 B へ帰属します。後継者 B は終了直前の受益者であったため、税務上は財産の移転はなかったものとして課税はありません。株主が受託者から帰属権利者へ変更となるため、譲渡承認等の会社法上の手続きを行うこととなります。

・受託者死亡による終了の場合の相続との関係

　受託者は、信託財産を自己の固有財産とは分別管理をし、運用しているのみであるため、受託者が死亡しても、信託財産は受託者の相続財産にはなりません。

税務当局への提出書類（受託者の義務）
●「信託に関する受益者別（委託者別）調書（同合計表）」（相法 59 ③）

　信託が終了した場合には、受託者は「信託に関する受託者別（委託者別）調書（同合計表）」を翌月末までに納税者の所轄税務署へ提出する必要があります。（提出事由：信託の終了）

　ただし、この事例のように信託終了直前の受益者が帰属権利者である場合には、提出不要です。（相規 30 ⑦五ハ（5））

３．他益信託で設定する方法

　これまで、先に贈与を行いその後に自益信託を設定する方法をご説明しましたが、他益信託で設定する方法もあります。先にスキーム図を見ていきましょう。

図

委託者	受託者	受益者
オーナー	オーナー	後継者

株式の運用を任せる　　果実である配当を受け取る

　この場合、民法上の贈与手続きは行わず、信託を設定して受益者を後継者とします。

　自己信託となるため、委託者と受託者による「信託契約」は締結できず、公正証書による「信託宣言」の手続きを行うことになります（信法３③）。

　税務上は受益者を所有者として課税しますので、適正な対価なしで受益権を取得した場合、委託者から贈与により取得したものとみなして、受益者に贈与税が課せられます（相法９の２①）。評価は通常の非上場株式の評価と同じです。

　他益信託となりますので、設定時に税務当局へ「信託に関する受益者別（委託者別）調書（同合計表）」の提出が必要となります（ただし、信託財産の価額の合計額が50万円以下の場合は不要（相規30⑦一））。信託期間中と信託終了時は「贈与＋自益信託」の場合と同様です。

　譲渡承認等の会社法上の手続きは、設定時の受託者への変更と終了時の帰属権利者への変更のそれぞれで行います。

４．事業承継税制の適用関係

　いずれのケースにおいても事業承継税制は適用できません。「贈与＋自益信託」のケースでは、仮に贈与時に認定を受けられたとしても、その後の信託の段階で認定取消事由に該当してしまいます。

＜参考＞複層化信託について

　複層化信託とは、一般に、信託受益権を「元本受益権」と「収益受益権」に分離させた信託をいいます。ひとつの財産を質的に分けるということは、一般の「所有権」では考えられないことですが、信託なら可能となります。

　ただし、「評価」についてハッキリしないところがあり、あまり普及しているとは言えません。様々な書籍等で紹介されている以下のような事例で、複層化信託とした場合の、元本受益権と収益受益権の評価について見てみましょう。

（例）・・・貸地を 30 年間信託し、収益受益権は父、元本受益権は子が取得
　　　　　（時価 5 億円、地代収益 1500 万円／年の場合）

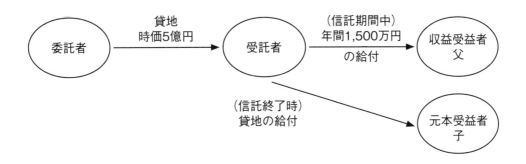

・30 年間父は今まで通り地代収入を受け取る。
・子は信託設定時に 6,000 万円相当について贈与税課税されるのみ。
・子は 30 年後に無税で 5 億円の土地を手に入れられる。

→複層化信託を利用することで、このようなことは可能なのでしょうか？？

（図）

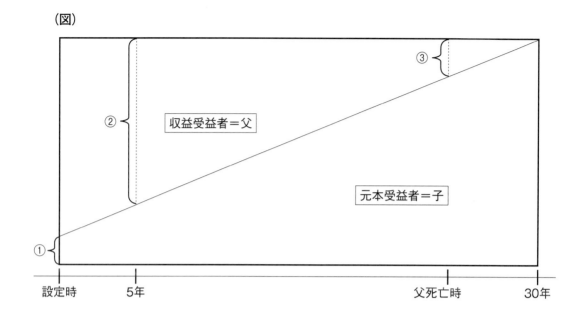

【課税関係】

（1）信託設定時（期間 30 年，基準年利率 0.1％，複利年金現価率 29.540 の場合）

　　・収益受益権の価額　　　1,500 万 × 29.540 = 4.4 億

　　・元本受益権の価額　　　5 億 − 4.4 億 = 0.6 億 ←父から子への贈与税課税

　　　　　　　　　　　　　　　　　　　　　　　　　　・・・・・図①

　　収益受益権は将来受け取る収益を推算した金額の現在価値、元本受益権は残額。
　　（財産評価基本通達 202）

（2）信託終了時（30 年経過時）

　　・子への元本帰属時には、課税関係は生じない。

（3）信託期間終了前に、委託者及び受益者の合意等により、信託が終了した場合

① 5年後に信託契約を解除した場合（期間25年、基準年利率0.1％、複利年金現価率 24.678）

・収益受益権の価額　　1,500万×24.678＝ 3.7億 →父から子への贈与税課税

・・・・・図②

② 父の死亡時

・父の相続財産＝相続時の収益受益権評価額（評価方法は上記同様）

→父から子への相続税課税・・・・・図③

　前記の評価は、複層化信託が受益者連続型信託に該当していないことが前提で、受益者連続型信託に該当すると判断された場合の評価は次の通りとなります。

・元本受益権は、信託設定時から終了時まで評価ゼロ
・収益受益権は、信託設定時から終了時まで100％評価のまま
（相続税基本通達9の3-1）

　つまり、受益者連続型信託に該当した場合、30年後に子が土地を取得した段階で100％評価にて贈与税が課税されます。無税で取得のつもりが、想定外の課税ということになります。

　では、受益者連続型信託に該当しなければ良いのでは？ということになりますが、ここが難しいところです。受益者連続型信託は、信託法で「受益者の死亡により他の者が新たに受益権を取得する定めのある信託」（信託法91条）と定められていますが、税務上は、これらに「類する信託」（相令1の8）まで範囲を広げており、どこまでが受益者連続型信託に該当するのか否か、明確ではありません。

　「受益者連続型信託に該当しない信託」を組成できても、次に、受益権の評価にあたっては以下のような論点も指摘されています。

・将来利益の合理的な評価として推算した価額と現実とが乖離した場合の税務上の問題はどうするか。
・固定資産税や減価償却費などの必要経費が、収益受益権と元本受益権のいずれに帰属させるべきか税務上整理されていない。

辻・本郷 税理士法人

業務案内

相続・贈与・財産管理

相続税・贈与税申告　　　　遺言書作成
生前対策・相続税コンサルティング　　不動産活用
　　　　　　　　　　　　　税務調査対応

事業承継コンサルティング

事業承継計画立案　　金庫株の取得
対策検討・実行　　　従業員持株会の組成
持株会社の設立　　　株式交換・移転
種類株式の導入　　　会社合併・分割

法人・個人税務顧問

会計・税務相談　　財務アドバイス
税務申告　　　　　税務調査対応
確定申告　　　　　税務戦略・経営支援
決算・納税シミュレーション

連絡先　ご質問・お気づきの点等ございましたらお気軽にご連絡下さい。

辻・本郷 税理士法人

〒163-0022
東京都新宿区新宿4-1-6 JR新宿ミライナタワー28階
TEL　03-5323-3301（代表）　　FAX　03-5323-3302
URL　https://www.ht-tax.or.jp/

執筆担当者

（編集委員）

木村　信夫　　　楮原　達也　　　鈴木　淳
槇　幸紘　　　　松浦　真義　　　山口　拓也

もっと知りたい　信託活用術

2021年　3月　1日 初版発行

編著　辻・本郷 税理士法人

ISBN978-4-88592-211-4

C0032 ¥800E

定価：880円（本体800円＋税10%）

9784885922114

1920032008005

東峰書房

現代日本語

山村仁朗　著

学術図書出版社